Morgan et les fantômes du forum

D1231276

Corinne De Vailly

Morgan et les fantômes du forum

Les Éditions Goélette

Graphisme : Marjolaine Pageau
Révision, correction : Fleur Neesham, Marilou Charpentier
Illustrations de la couverture : Julie Jodoin Rodriguez
Autres illustrations : Shutterstock

Dépôt légal : 2e trimestre 2012
Bibliothèque et Archives nationales du Québec
Bibliothèque nationale du Canada

Les Éditions Goélette bénéficient du soutien financier de la SODEC
pour son programme d'aide à l'édition et à la promotion.

Nous remercions le gouvernement du Québec de l'aide financière
accordée par l'entremise du Programme de crédit d'impôt
pour l'édition de livres, administré par la SODEC.

Nous remercions de son soutien le Conseil des Arts du Canada
pour son programme d'aide à l'édition de livres.

Nous reconnaissons l'aide financière du gouvernement du Canada par
l'entremise du Fonds du livre du Canada pour nos activités d'édition.

Membre de l'Association nationale des éditeurs de livres.

Imprimé au Canada
ISBN : 978-2-89690-182-1

Remerciements

Pour leurs avis, ajouts, commentaires et
suggestions, un immense merci à Olivier Fillion,
Éli Sammoun, Maxim Larouche, Samuel Verreault,
Henri Pfister et Ariane Laberge.

CHAPITRE 1

Dans quelques semaines, les vacances vont commencer. Mais, ce dimanche matin, Joffrey, lui, n'a pas le cœur à la fête. Il ouvre la porte de la cabane à la volée.

– Bon, là… ça ne peut plus durer! crie-t-il à tue-tête.

Personne ne lui répond. Ses amis ne sont pas encore arrivés. Déçu, il se laisse tomber dans le vieux fauteuil défoncé qui soupire sous son poids.

Il patiente depuis une vingtaine de minutes lorsque la porte s'ouvre de nouveau.

– Salut! lui lance Morgan, sur un ton enjoué.

– Tu es plutôt joyeux, toi? bougonne Joffrey.

– Qu'est-ce qui se passe? s'étonne Morgan.

– Ce qui se passe? Ils ont encore perdu! Voilà ce qui se passe, gronde Joffrey.

– De qui parles-tu? demande Morgan, en s'asseyant sur leur coffre aux trésors.

Joffrey sort de sa poche un gros paquet de cartes et les tend à son ami.

– Je te les donne toutes… je n'en veux plus!

–Quoi ? ! Tes cartes des joueurs des Canadiens !
Pourquoi ?

–Parce qu'hier soir, ils ont encore perdu...
Sept défaites de suite, tu te rends compte ! J'ai
peur qu'on ne fasse pas les séries cette année.

Morgan repousse lentement la main de son ami.

–Garde-les ! Tout n'est pas perdu... Je suis sûr
qu'ils vont gagner la prochaine partie !

–Pfff ! Ça m'étonnerait ! La prochaine partie est
ce soir...

À cet instant, la porte s'ouvre une autre fois et
Jenny fait son apparition.

–Qu'est-ce qui se passe ? Vous en faites une
drôle de tête ? Il est arrivé quelque chose de grave ?

–Non ! dit Morgan.

–Ouiii ! crie Joffrey.

–Ah, faudrait savoir ! C'est oui ou c'est non ? se
moque la fillette, en prenant place derrière la table
brinquebalante offerte par leur amie magicienne.

–C'est à cause du match d'hier, souffle Morgan.

–Ah oui ! J'ai regardé ça à la télévision avec ma
mère. Hum ! Pas fort ! déclare Jenny.

–Tu vois, tu vois ! Je te l'ai dit ! râle Joffrey.
Même ceux qui n'y connaissent rien le voient bien
qu'ils jouent mal...

Morgan et Jenny échangent des regards désespérés. Que peuvent-ils bien faire pour ramener la joie dans le cœur de leur ami et un sourire sur son visage ?

— On pourrait appeler Fée Des Bêtises et lui demander de nous emmener, euh… voir les jeux du cirque, à Rome, suggère Jenny. Joffrey, t'aimes bien le cirque, non ?

— Non !

— Ou peut-être aller rencontrer Cléopâtre pour vérifier si elle est aussi jolie qu'on le dit et si elle prend vraiment des bains de lait, glisse Morgan, avec un air amusé.

— Non !

— Ou…

— Allez-y, vous ! Si ça vous fait plaisir ! coupe Joffrey. Moi, je m'en vais chez Louis, il a toujours voulu mes cartes de hockey, je vais les lui donner !

Joffrey ouvre la porte de la cabane d'un coup sec et entre en collision avec Fée Des Bêtises qui allait entrer. Il grimace. Leur amie dégage une odeur de vieux chiffons et de cartons moisis qui n'est pas toujours agréable. La vieille dame est une sans-abri, une personne errante, sans toit sur la tête. Bref, elle vit dehors. Mais, en réalité, elle n'est pas une vraie clocharde, plutôt une magicienne. Le problème, c'est qu'à vouloir trop bien faire, parfois, eh bien, elle fait des bêtises. C'est pour cela que les enfants lui ont donné ce surnom qui lui va vraiment très bien, car elle collectionne les gaffes, surtout quand ses pouvoirs magiques commencent à diminuer.

— Ah, je suis contente de vous voir, les amis! lance la magicienne. Vous ne devinerez jamais ce que j'ai entendu pendant que je prenais un petit chocolat chaud au resto du coin!

— Excuse-moi, Fée. Amusez-vous bien! lance Joffrey en s'éloignant.

— Mais non! Attends, Joffrey. Cette bonne nouvelle te concerne…

Intrigué, le jeune garçon pivote et dévisage la magicienne.

— Cet après-midi, il y a un petit entraînement des Canadiens, tout juste avant le match, lance Fée.

– Mouais…, fait Joffrey, en haussant les épaules. Ils ont besoin de s'entraîner fort…

– Il n'est pas public, mais… je peux arranger quelque chose! laisse tomber la magicienne, en déposant Rasta[1] dans sa cage.

– Tu te rends compte, Joffrey, tu pourrais assister à l'entraînement de ton équipe préférée, s'exclame Jenny, en battant des mains.

– Bof!

– Mais qu'est-ce qu'il a? demande finalement la fée, en se rendant compte que le jeune garçon n'est guère enthousiaste.

– Ils ont encore perdu hier soir! explique rapidement Morgan.

– Et Joffrey est sur le point de changer d'équipe préférée, commente Jenny.

– Ah bon! répond la sans-abri, déçue. Moi qui pensais te faire plaisir. Tu as toujours rêvé d'assister à un entraînement.

– Peut-être que ça n'intéresse pas Joffrey, mais moi, je veux bien y aller, fait Morgan.

– Moi aussi! lance Jenny.

---

1. *Morgan, le chevalier sans peur*, Les Éditions Goélette, 2010.

Tous les trois se tournent alors vers leur ami qui n'a pas bougé d'un centimètre.

– Mouais…, fait-il en soupirant. D'accord, allons-y !

– Parfait ! Je vous rejoins tout près du Centre Bell, répond Fée Des Bêtises.

– Je dois prévenir ma mère ! dit Jenny.

– Oui, moi aussi. Je préviens mes parents et on te rejoint ! ajoute Morgan.

– Je vais demander à mon père de nous déposer tous les trois à l'aréna, dit Joffrey. Il doit justement aller au centre-ville aujourd'hui.

L'une des règles établies par la magicienne est que les enfants ne doivent jamais être vus en sa compagnie, car alors, elle serait forcée de disparaître à tout jamais. C'est la raison pour laquelle ils ne peuvent jamais mentionner ni son nom ni les aventures qu'ils vivent en sa compagnie, ce qui n'est pas toujours facile, surtout quand ils ont des permissions à demander pour s'éloigner de la maison.

Fée fait demi-tour et s'éloigne en poussant son chariot d'épicerie grinçant, rempli des dernières trouvailles qu'elle a récupérées un peu partout dans la rue et sur les terrains vagues des alentours.

– N'oubliez pas vos carnets magiques ! leur lance-t-elle, avant de tourner au coin de la rue.

– Hé, j'en ai une bonne pour toi, Joffrey, lance Jenny à son ami, tandis que le trio quitte la cabane à son tour. Sais-tu comment on appelle un vampire fan de hockey ?

Le garçon hausse les épaules.

– Aucune idée !

– Un mordu !

Morgan éclate de rire, tandis que Joffrey fait la moue, mais ses yeux sont remplis de paillettes. C'est un trait de son caractère : il ne reste jamais de mauvaise humeur bien longtemps. Quelques secondes plus tard, il rigole à son tour, sans s'inquiéter, pour une fois, de savoir si quelqu'un voit son appareil dentaire.

– D'accord, elle est bonne !

Une heure plus tard, les trois amis sont déposés devant le Centre Bell par le père de Joffrey, reparti aussitôt à son rendez-vous. Mais aucune trace de Fée Des Bêtises. Où est-elle donc ? Les jeunes aventuriers font les cent pas, en regardant à gauche, en scrutant à droite. Rien.

– Il faut l'appeler, propose Morgan. On a peut-être mal compris le lieu de rendez-vous.

– Non non, elle a dit au Centre Bell ! confirme Joffrey.

– Elle est peut-être postée à une autre entrée. On risque de l'attendre longtemps si on n'est pas au bon endroit, intervient Jenny, en regardant encore partout.

Morgan saisit la main gauche de Joffrey et la main droite de Jenny. En se tenant ainsi, les trois amis se concentrent très fort, en silence. Pour appeler Fée Des Bêtises, il faut vider son esprit, fixer ses pensées sur elle et l'appeler trois fois par son nom. Si tout est fait comme il se doit, normalement, elle apparaît au bout de cinq secondes.

– Ah, vous êtes là ! Je suis contente que vous soyez déjà arrivés ! s'exclame la mendiante, en se métamorphosant derrière eux.

– Comment allons-nous faire pour entrer ? la questionne Morgan. Il doit y avoir des gardiens de sécurité.

– Grâce à mes pouvoirs magiques, bien entendu ! répond Fée Des Bêtises.

La magicienne pose sa main sur les portes vitrées fermées à double tour. Un léger déclic se fait entendre et la porte s'ouvre lentement toute seule. Il ne leur reste qu'à se faufiler dans le grand édifice.

Quelques minutes plus tard, les quatre amis se retrouvent assis dans les **gradins** vides, alors que quelques joueurs sont déjà en train de patiner en avant, en arrière, en zigzag, de s'échanger la rondelle et de faire quelques lancers vers le gardien. Personne ne les a remarqués, et ils font très attention à ne pas faire de bruit pour éviter d'être surpris.

Tout se déroule bien, quand, tout à coup, un joueur chute lourdement en quittant son banc pour s'élancer sur la glace. Pourtant, personne ne l'a poussé. Il se relève en riant de sa maladresse. Mais aussitôt, un autre tombe, puis un troisième. Presque tous les joueurs se retrouvent à quatre pattes. Ils tombent comme des quilles qu'une boule invisible s'amuserait à frapper. Ils se regardent tous, très étonnés. Quelques-uns remarquent que leurs lames de patin sont tordues. C'est inexplicable !

— Pouah ! pouffe Morgan. Je comprends qu'ils perdent… ils ne savent même pas patiner !

— Arrête de te moquer, il se passe quelque chose de bizarre ! rétorque Joffrey. Ce n'est pas normal que tous les joueurs tombent comme ça.

Ah! chut! Regarde, il y en a un qui va défier le gardien.

Un joueur décoche un tir en direction du but, pour tester les réflexes de son coéquipier.

—Le gardien est bien placé, il n'aura aucun mal à…

Joffrey ne termine pas sa phrase. Dans une scène qui se déroule presque au ralenti, le but se soulève, la rondelle également et elle vient s'enfoncer dans le filet à un mètre au moins au-dessus du gardien, avant de retomber lourdement derrière lui.

Tous les joueurs se figent, puis vont et viennent autour du but pour essayer de comprendre ce qui s'est passé. Un but qui vole, ce n'est pas banal.

—T'as vu ça, Fée? ! s'exclame Morgan, ébahi lui aussi.

—Est-ce que c'est toi qui as fait ça? la questionne Jenny.

– Nan ! répond la magicienne. Je n'y suis pour rien. Je crois qu'il y a quelqu'un qui s'amuse à jouer des tours… Je ne le vois pas, mais je sens sa présence.

– Un sorcier, une méchante fée ou peut-être… euh, un fantôme ? demande Jenny, avec un brin d'inquiétude.

– Qui que ce soit, cette personne n'est pas gentille de se moquer des Canadiens ! laisse tomber Morgan. Ils jouent mal en ce moment, ce n'est pas la peine d'en rajouter.

– On doit faire quelque chose pour les aider, ajoute Joffrey. Si ce joueur de tours s'en prend à eux pendant la partie de ce soir, ils vont perdre… et c'en sera fini pour les séries cette année.

– D'accord ! Je crois que j'ai une solution ! répond Fée Des Bêtises. Mais pour cela, il faut aller dans le vieux Forum.

– Le vieux Forum ? C'est quoi ? demande Jenny.

– C'est l'ancienne patinoire où les Canadiens jouaient avant que le Centre Bell existe, explique Joffrey qui connaît l'histoire de son équipe préférée sur le bout des doigts.

– J'ai besoin du mot magique de départ pour nous aider à franchir l'espace et le temps. Qui me le donne ?

– Moi ! s'écrie Jenny. Le pluriel amusant d'une fée, c'est DES SIENNES*

FÉE DES SIENNES :
de l'expression « faire des siennes », faire des folies, jouer des tours

CHAPITRE 2

Les jeunes aventuriers sont aussitôt aspirés par une spirale lumineuse. En entrouvrant les yeux, ils voient un défilé, celui des joueurs des Canadiens qui brandissent la coupe Stanley ; parmi eux, ils reconnaissent l'ancien capitaine du début des années 1990, Guy Carbonneau. Puis le tourbillon s'accélère. Cette fois, il y a beaucoup de monde dans les rues de Montréal : c'est l'année des Jeux olympiques. Mais déjà, la vision s'éloigne. La chute dure longtemps. Très vite, ils aperçoivent un **tramway**. Les quatre amis volent dans un nuage de brume aussi doux que du coton, aussi léger qu'une bulle de savon. Brusquement, il y a un choc et ils ouvrent les yeux. Ils sont assis sur des sièges de bois rouges, dans un bâtiment vide plongé dans la pénombre.

– Où sommes-nous ? demande Morgan.

Joffrey regarde autour de lui pendant quelques secondes.

– Wow, Fée ! Nous sommes au Forum… c'est incroyable !

Mais la magicienne n'est pas là.

– Fée ? Hou hou, où es-tu ?

« Uuuu… Uuuu… Uuuu ! » renvoie l'écho dans le vieux bâtiment vide.

– Je me demande bien en quelle année nous sommes, soupire Jenny.

– Regardez. La patinoire est là… c'est vraiment le vieux Forum ! répond Joffrey, en se levant pour descendre les gradins et se diriger vers la glace. À notre époque, cet endroit est devenu un centre de divertissements avec des salles de cinéma et un mur d'escalade. J'y viens parfois avec mes parents… Pourtant, là, je ne reconnais rien. Nous avons fait un bond dans le passé… mais je n'arrive pas à déterminer en quelle année !

– Féééééée ! crie Jenny.

« Éééé… Éééé… Éééé ! » répondent les vieux murs de l'aréna.

– Chut ! Avez-vous entendu ? demande soudain Morgan, en pivotant sur son siège.

– Hou hou ! Il y a quelqu'un ? Fée, c'est toi ? demande Jenny.

« Oi… oi… oi… », répond l'écho.

La structure du Forum craque de partout, mais aucune trace de la magicienne.

— Peut-être que ses pouvoirs sont trop diminués pour qu'elle nous réponde, dit Jenny. J'espère qu'elle ne s'est pas arrêtée dans une autre époque.

— Ça lui demande beaucoup d'énergie de nous faire voyager dans les mondes fabuleux, surtout quand nous partons tous les trois ensemble, commente Morgan. Elle doit être en train de se reposer quelques minutes. Ne vous inquiétez pas, elle ne nous a jamais laissés tomber. Elle va venir.

Dans leur dos, un bruit retentit. Ils se retournent en même temps. Personne.

— Ça me fait peur ici ! dit Jenny, en relevant son foulard jusqu'à son nez. C'est sombre, ça craque de partout et il fait froid.

— Allons faire un tour au vestiaire, propose Morgan. Fée s'est peut-être simplement trompée d'endroit à l'atterrissage.

Ils entrent dans la chambre des joueurs. Au-dessus des vieux bancs, ils voient des chandails suspendus à des crochets, des bâtons dans un coin… mais personne.

– « Nos bras meurtris vous tendent le flambeau, à vous toujours de le porter bien haut... * », lit Joffrey. C'est la **devise** du club !

– Hum ! Pour l'instant, la lumière de leur flambeau est plutôt faible, se moque Jenny.

– Hé ! Sont trop cool ! s'exclame Morgan, en pointant une paire de vieux patins qui semblent avoir beaucoup servi.

Il veut les enfiler, mais s'aperçoit rapidement que les lacets des deux bottines sont noués solidement ensemble. Il parvient finalement à défaire les nœuds et à chausser les patins.

– Morgan ! Sais-tu ce qu'il y a de commun entre toi et un mille-pattes ? s'amuse Jenny, en riant dans le creux de sa main.

Le garçon hausse les épaules. Il regarde ses pieds et ne voit pas en quoi il a l'air d'un insecte. Bon, c'est sûr que juché sur ces vieux patins, il a une drôle d'allure, mais quand même !

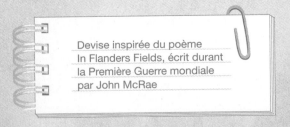

Devise inspirée du poème
In Flanders Fields, écrit durant
la Première Guerre mondiale
par John McRae

– Les mille-pattes sont comme toi, ils ne peuvent pas jouer au hockey, parce que le temps d'enfiler leurs patins, la partie serait déjà terminée !

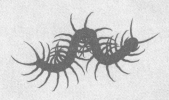

– Ha, ha !

– Hé, regardez ! C'est étrange, les interrompt Joffrey. Tous les patins ont les lacets attachés ensemble.

– Ouf ! Imagine, si ça arrivait pendant…, commence Morgan, mais Joffrey ne lui laisse pas le temps de finir sa phrase.

– Mais oui ! Si les lacets des deux bottines sont noués ensemble, le joueur tombe ! Comme… comme tous ceux qu'on a vus tomber tout à l'heure pendant l'entraînement au Centre Bell.

– Et en plus, certains patins avaient la lame tordue… Deux sabotages d'un coup, c'est suffisant pour causer de nombreux problèmes !

– Misère ! Tu penses que quelqu'un a attaché leurs lacets et a tordu les lames sans qu'ils s'en aperçoivent ? demande Jenny, indignée.

– Oui, si ce blagueur est une personne invisible, un fantôme comme tu l'as suggéré tantôt, dit Joffrey.

– Je ne vois pas l'intérêt de faire ça! soupire Morgan.

– Sauf si ce quelqu'un veut absolument qu'ils perdent! ajoute Joffrey.

Pendant que ses deux amis discutent, Jenny s'approche du coin où sont entreposés de vieux bâtons de hockey. Elle tend la main et s'empare de l'un d'eux. Mais à peine l'a-t-elle posé au sol pour mimer la position d'un joueur que la palette de bois éclate. Le craquement attire l'attention des deux garçons qui la rejoignent et prennent à leur tour chacun un bâton. Aussitôt, crac! les palettes se brisent.

– Quelqu'un a scié les bâtons! fait remarquer Joffrey. Il y a vraiment un **vandale** dans le coin.

– Hum! Crois-tu que ce plaisantin a testé ses tours sur ce vieil équipement avant de réserver le même sort à celui des Canadiens actuels? demande Jenny.

– Peut-être!

– Et si tous les gestes qu'il fait ici se produisaient pour de vrai dans notre temps…, propose Morgan.

—Ce serait une catastrophe! avoue Joffrey. Où est donc Fée Des Bêtises? Il n'y a qu'elle qui peut nous en apprendre plus sur ces étranges agissements.

À cet instant, des claquements de porte retentissent, des grincements leur répondent. Les trois enfants commencent à avoir peur. Morgan ramasse vite ses chaussures, il préfère enlever les vieux patins loin de ce vestiaire hanté. Tous trois se précipitent vers la sortie, mais en passant près d'un sac qu'ils n'avaient pas encore remarqué, celui-ci bascule et des dizaines de rondelles s'éparpillent, roulant sous leurs pieds.

—Ah, on dirait que ces rondelles ont une vie et cherchent à nous faire tomber. Vite, sortons de là, avant qu'il nous arrive un accident! crie Joffrey.

—Le fantôme! Le fantôme est là! hurle Jenny, paniquée, en sortant vite dans le corridor.

Dans sa fuite, et **à son insu**, elle referme la porte au nez des deux garçons qui la suivent de près. Joffrey se cogne le front contre la porte, mais parvient à sortir à son tour, en se massant la tête. Morgan, lui, est paralysé. Agrippée à son dos, une main invisible tente de le retenir par le manteau.

– Féééééee ! s'égosille-t-il, en appelant son amie à l'aide.

Fée Des Bêtises n'est pas là pour leur donner un coup de main, et ils **ne sont pas de taille** à se mesurer à un **spectre**.

Finalement, la main relâche le manteau et, emporté par son élan, Morgan s'étale de tout son long dans le corridor. Les vieux patins qu'il porte aux pieds l'empêchent de courir. Dans sa hâte, il chute tous les trois pas, se relevant chaque fois avec la peur au ventre. Mais pas question de rester dans ce vestiaire maudit.

Soutenu sous les aisselles par Joffrey et Jenny, Morgan réussit à s'échapper. Vite, ils se précipitent vers la sortie du Forum, mais toutes les portes sont fermées par de grosses chaînes et des cadenas rouillés.

– Oh non ! Nous sommes prisonniers ! crie Joffrey.

– Fée. Vite, il faut appeler Fée. Concentrons-nous! dit Jenny en attrapant la main de ses deux amis.

Malheureusement, ils sont tellement anxieux que leur concentration laisse à désirer. Leur amie ne se montre pas.

– Elle ne doit pas être bien loin pourtant! lance Morgan. Essayons un mot magique. Ses pouvoirs sont peut-être simplement en panne.

Il ouvre rapidement son carnet et déclare d'une voix chevrotante :

– Il ne faut pas dire PATIN, mais NATUREL*.

Les lettres s'échappent de son carnet et se mettent à danser une farandole devant les trois amis.

À cet instant, quelques notes de musique retentissent dans l'aréna. Ils reconnaissent l'air de « Na na na na, hey hey hey, goodbye ! »

PATIN :
Pas teint

Les lettres du carnet continuent un instant à danser, avant de s'évaporer.

— Il y a quelqu'un qui se moque de nous! affirme Jenny, les mains sur les hanches et les sourcils froncés. Croyez-moi, je vais découvrir qui est ce farceur. Et je vais lui dire deux mots qu'il n'oubliera pas de sitôt.

S'il y a bien une chose que Jenny ne supporte pas, c'est qu'on la ridiculise. Elle peut surmonter ses plus grandes peurs pour faire cesser une mauvaise blague. Sans laisser le temps aux garçons de l'en empêcher, elle s'élance dans les escaliers en direction des anciennes loges.

Morgan se laisse tomber sur un siège et enlève enfin les vieux patins pour renfiler ses espadrilles. S'ils doivent fuir, ce sera plus pratique!

CHAPITRE 3

Tandis que Jenny commence l'exploration des étages supérieurs, où sont situées les loges et la galerie des journalistes, les deux garçons poursuivent celle des gradins. Il est facile pour quelqu'un de se cacher dans cet énorme bâtiment. Les jeunes doivent en examiner le moindre recoin. Et il y en a beaucoup. En plus, les piliers de soutien qui parsèment les lieux ne leur facilitent pas la tâche : impossible d'avoir une vue bien dégagée de l'ensemble.

– C'est bizarre, ça ! dit tout à coup Morgan, la main tendue devant lui.

Ses doigts s'arrêtent sur les mailles d'une grille.

– Oh, mais oui ! À une certaine époque, un grillage séparait les sections assises de celles où les gens les plus pauvres restaient debout. J'ai lu ça dans un livre, explique Joffrey.

– Hum ! Je me demande bien à quelle époque Fée nous a envoyés, le coupe Morgan. C'est trop bizarre !

– Tu as raison. On dirait que tout est mélangé… il y a des vieilles structures des années 1940 et d'autres qui remontent aux années 1970.

— Je ne suis pas sûr que ce soit elle qui ait ainsi mélangé les époques. Si ce qu'elle a dit au sujet d'un fantôme ou d'un sorcier est vrai, c'est sûrement lui qui a créé ce lieu tel que nous le voyons.

Les deux garçons continuent de se promener entre les rangées de sièges. Si quelqu'un se dissimule, cette personne a vraiment trouvé une bonne cachette et n'a laissé aucun indice pour permettre de la trouver.

— Ça fait longtemps que Jenny est partie vers la galerie de la **presse**, je trouve, dit tout à coup Morgan, qui semble inquiet.

— Jennyyyyyyy! appellent-ils à l'unisson, les yeux levés vers le haut du Forum.

« Yyyy… Yyyy… Yyyy! » répond l'écho.

Leur amie ne les entend pas, car elle vient d'entrer dans une loge. Elle y a été attirée par des bruits suspects.

— Fée? C'est toi? demande-t-elle à voix basse, comme si elle avait peur qu'on l'entende malgré tout.

Le grattement s'intensifie. Il fait sombre. Jenny n'y voit pas grand-chose. Sa main droite tâtonne à la recherche d'un interrupteur… mais elle a beau le faire basculer de haut en bas, plusieurs fois de suite, la lumière ne s'ouvre pas. Soit il n'y a plus de courant dans l'édifice, soit quelqu'un ne veut pas qu'elle éclaire les lieux.

Elle avance d'un pas prudent dans la pièce. Des toiles d'araignées s'agglutinent aussitôt sur son visage. Visiblement, il y a bien longtemps que personne n'est venu ici.

– Aaaah ! Je déteste ça ! dit-elle à voix haute, en les décollant du revers de la main.

La poussière qui recouvre une table, un divan usé et deux chaises la fait éternuer à plusieurs reprises.

– À tes souhaits ! entend-elle brusquement.

– Fée ! Enfin ! Mais que fais-tu ici, toute seule dans le noir ? Attends, je te donne un mot magique.

Elle ouvre aussitôt son carnet.

– La fée qui manque de force c'est la FÉE BLAISSE*.

Aussitôt les lettres s'échappent du carnet et se mettent à voltiger devant elle. Mais son intervention n'a pas le résultat escompté. Un hurlement déchirant succède à sa déclaration.

– Arrière ! Arrière, petite diablesse ! entend-elle.

Intriguée, la fillette s'avance, mais se fige presque aussitôt. Ce n'est pas son amie magicienne qu'elle aperçoit, plutôt une forme vaporeuse et translucide sur laquelle la poussière semble danser. Le spectre tremble de tout son squelette…

– Qui… qui… qui… êtes-vous ? bafouille Jenny, en sentant ses cheveux se dresser sur sa tête.

– Et… et… toi ? répond l'**ectoplasme**, tout aussi agité qu'elle.

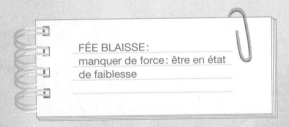

FÉE BLAISSE :
manquer de force : être en état de faiblesse

La petite fille respire profondément pour se donner un peu de confiance.

– Jenny… et vous ?

– Moi… moi…, bredouille l'apparition. Euh, Tom Lefan !

– Tom Lefan… Qu'est-ce que vous faites ici, tout seul ?

– Mais j'habite ici, ma belle ! répond l'homme qui reprend peu à peu ses esprits.

– Vous êtes… un… un sans-abri ? ose demander Jenny, en constatant l'air plutôt échevelé du vieux bonhomme qui lui apparaît **par intermittence**. Un ami de Fée Des Bêtises ?

– Connais pas cette dame ! Et je ne suis pas un sans-abri… puisque je m'abrite ici, au Forum.

La forme flotte maintenant à quelques centimètres du sol. Jenny sent que ses jambes vont la trahir. Elle est bel et bien en train de discuter avec un fantôme.

– Tom Lefan ! Lefan Tom ! bafouille-t-elle, en réalisant soudain comment s'appelle son interlocuteur.

Elle se laisse tomber sur une chaise, soulevant un nuage de poussière en s'asseyant.

– Que fais-tu ici ? En fait, je devrais dire, que faites-vous ici ? J'ai bien remarqué que tu n'es pas venue seule, Jenny ! l'interroge Tom Lefan.

– Je suis à la recherche de mon amie, une puissante magicienne… L'avez-vous vue ? répond-elle, en espérant impressionner le spectre.

– Non. Pas du tout ! répond-il très vite.

Tellement vite que Jenny n'en croit pas un mot. Même si elle n'est guère rassurée par la présence du revenant, elle n'a pas envie de le brusquer et de le voir disparaître avant de lui avoir soutiré ce qu'elle veut savoir.

– Pourquoi êtes-vous au Forum ? Il n'y a pas de match ce soir, ajoute le fantôme.

Jenny écarquille les yeux. La question de Tom Lefan n'a pas de sens, elle lui répond :

– Ça fait longtemps qu'il n'y a plus de matchs au Forum puisque les Canadiens jouent au Centre Bell.

« Le vieux bonhomme doit avoir perdu contact avec la réalité. Mais… ah ! peut-être pas tant que ça, après tout… C'est peut-être ce qu'il cherche à me faire croire, surtout si c'est lui le farceur qui nuit aux joueurs actuels ! » se dit-elle, avant de demander à voix haute :

–C'est que… eh bien… Ah, et puis tant pis. Autant vous le demander directement ! Est-ce vous qui jouez des tours aux joueurs en attachant leurs patins ensemble, en tordant leurs lames, en sciant leurs bâtons et en faisant voler les buts ?

Pendant quelques secondes, la fillette et le vieux fantôme se regardent en silence.

–Oui, c'est moi ! hurle-t-il tout à coup, en planant à travers la pièce de manière désordonnée.

–Mais pourquoi ? lui reproche Jenny. Ce n'est pas gentil.

–Parce que je ne suis pas un fantôme gentil, réplique le vieux spectre, en passant à travers le plafond de la loge avant de disparaître dans les hauteurs du forum.

–Je rêve ! Ça n'existe pas les fantômes ! Il y a peut-être quelqu'un qui s'amuse à jouer avec des **hologrammes**, dit la fillette, en cherchant un projecteur ou quelque chose qui ressemble à un appareil du même genre et qui pourrait projeter des images sur les murs.

Mais plus elle réfléchit et plus elle est convaincue que Tom Lefan est un revenant, car après tout, personne ne sait qu'elle et ses amis sont ici, donc personne d'autre qu'un véritable spectre ne peut se manifester.

« Il paraît que ça n'existe pas non plus les fées, et pourtant j'en connais une ! » songe Jenny.

Pendant un instant, elle regarde la forme blanche s'effilocher contre les poutrelles d'acier brunes du toit. Lorsqu'elle passe près du tableau d'affichage, au-dessus de la patinoire, celui-ci s'affole. Les panneaux cliquettent et les chiffres indiquant le score se mettent à tourner à toute vitesse, tandis que le temps de jeu défile à rebours.

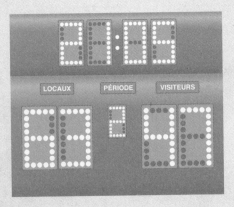

Elle entend le vieux Forum qui proteste de partout. Même la patinoire commence à émettre des sons bizarres. Venus de ses entrailles, sous la couche de sable recouvrant les tuyaux dans lesquels circule un mélange à l'ammoniac, montent des gargouillements impressionnants.

Jenny se frictionne vigoureusement les bras. Elle a froid. Est-ce parce que le vieil édifice n'est pas chauffé ou parce qu'elle a peur? Elle préfère ne pas se poser la question. Un profond soupir soulève sa poitrine.

— Si je raconte ma conversation avec Tom Lefan à Morgan et Joffrey, c'est sûr qu'ils vont se moquer de moi. Et pourtant, je suis sûre de ce que j'ai vu et entendu.

Elle sort de la loge au moment où ses amis, inquiets de ne pas la voir revenir vers eux, débouchent à l'étage, tout essoufflés d'avoir couru.

— Eh bien, tu en fais une drôle de tête! lui lance Morgan.

— On dirait que tu as vu un fantôme! ricane Joffrey.

— Ah, ça oui… vous pouvez le dire! J'ai bien vu un spectre… et comme on l'avait soupçonné, c'est lui qui cause tous ces problèmes aux Canadiens actuels! rétorque Jenny.

Les deux garçons échangent des regards amusés. Leur amie aurait-elle pris un coup sur la tête?

– Il s'appelle Tom Lefan! poursuit Jenny. Je ne sais pas pourquoi il est furieux, mais comme vous avez pu le constater avec tous les bruits qu'il provoque dans le Forum, il n'est pas de bonne humeur. On devrait le laisser tranquille et s'en aller.

– Et Fée? On ne l'a pas revue! On ne peut pas la laisser seule ici, surtout si elle n'a plus ses pouvoirs magiques, réplique Morgan. Et tu oublies qu'il n'y a qu'elle pour nous ramener dans notre monde.

– Le fantôme… Est-ce que… est-ce qu'il aurait pu s'en prendre à notre amie? s'inquiète Joffrey.

CHAPITRE 4

Un long cri retentit dans le Forum. Les enfants quittent rapidement la section des loges pour retourner vers les gradins.

– Est-ce que je rêve ? demande Joffrey, les yeux rivés sur la patinoire.

Là, en bas, leur amie magicienne est juchée sur une vieille Zamboni grinçante qui tourbillonne en tout sens sur la glace. Les trois jeunes amis se précipitent vers l'aire de jeu, en prenant garde de ne pas chuter, car la pente des gradins est à pic.

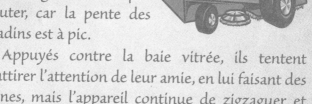

Appuyés contre la baie vitrée, ils tentent d'attirer l'attention de leur amie, en lui faisant des signes, mais l'appareil continue de zigzaguer et elle ne les voit pas.

– Crois-tu que c'est le fantôme qui joue un tour à Fée ? demande Morgan à Jenny.

– Hum… Je le crains !

– Il y a une chose que je ne comprends pas, intervient Joffrey. Normalement, les fantômes du Forum, ce sont des anciens joueurs. Et ils sont censés aider les hockeyeurs actuels, pas jouer des tours et provoquer des catastrophes.

– Tu as raison ! Il y a vraiment quelque chose qui m'échappe. Nous chercherons à percer ce mystère plus tard. Pour le moment, il vaut mieux aider Fée à descendre de cette machine endiablée, répond Morgan, en brandissant son carnet.

À cet instant, des coups de sifflet retentissent. Et des haut-parleurs jaillit la voix d'un annonceur invisible.

– Dégagement refusé !

La voix grave emplit tout l'aréna.

– Ah ! Je la reconnais, c'est la voix de Tom Lefan, s'exclame Jenny.

– J'ai une idée ! s'écrie Joffrey en tournant les talons. Morgan et Jenny, occupez-vous de faire descendre Fée de son engin. Je reviens !

Avant que ses amis aient eu le temps de réagir, Joffrey s'est élancé vers la sortie.

– Vite, un mot magique ! s'exclame Morgan.

Le garçon feuillette son carnet.

– J'espère qu'une phrase **mnémotechnique** suffira.

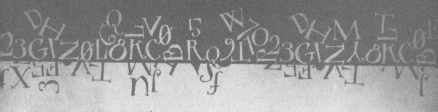

– Dis-en deux ! Ce sera mieux ! lance Jenny, tandis que sur la glace, la machine continue son étonnante valse.

– Le mot BALAI ne prend qu'un seul L car il n'a qu'un manche, tandis que le BALLET en prend deux, car on danse mieux sur deux jambes*.

Moins d'une seconde plus tard, Fée Des Bêtises apparaît près d'eux, tandis que la **surfaceuse** sans conducteur repart en direction du garage. Leur amie magicienne est échevelée et semble prise de vertige. Elle se laisse tomber sur un siège de bois.

– Mer… ci, merci les enfants ! bredouille-t-elle en reprenant ses esprits. À notre arrivée, j'ai atterri dans le garage, assise sur cet engin de malheur. Et tout à coup, il s'est mis en route tout seul. Je ne suis pas parvenue à l'arrêter, mes pouvoirs étaient trop diminués. Ensuite, cette machine s'est propulsée sur la patinoire. Quelle aventure ! Et vous, ça va ?

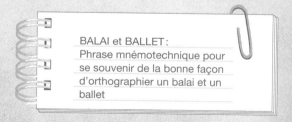

BALAI et BALLET :
Phrase mnémotechnique pour se souvenir de la bonne façon d'orthographier un balai et un ballet

Morgan et Jenny secouent la tête pour dire que tout va bien.

— Que se passe-t-il donc ici ? poursuit Fée.

Jenny lui raconte ce qu'elle a vu et sa courte discussion avec Tom Lefan.

— Hum... Un fantôme ! Ça ne m'étonne guère. Le vieux Forum en est rempli. Où est Joffrey ?

Morgan et Jenny haussent les épaules.

— Aucune idée ! Il est parti comme une fusée, en disant qu'il avait une idée.

— Allons dans le hall d'entrée, propose la fée. Cet endroit est hanté, il vaut mieux s'éloigner le temps de trouver une solution à nos problèmes.

— Et que tu te remettes de tes émotions ! dit Morgan, en souriant.

— Oui ! Ça aussi !

Ils sortent de l'enceinte par la porte que Joffrey a utilisée plus tôt, au cas où celui-ci reviendrait sur ses pas. Ainsi, ils sont sûrs de ne pas le manquer.

Lorsqu'ils arrivent dans le hall, ils s'arrêtent net. Dans l'entrée se dressent des présentoirs vitrés derrière lesquels sont étalés de vieux objets : anciens chandails et banderoles, patins antiques, etc. Et devant cet étalage de souvenirs,

Joffrey semble en grande conversation avec un être invisible.

– Cette exposition n'était pas là quand on est arrivés ! J'en suis sûr ! chuchote Morgan. À mon avis, c'est encore une manigance du fantôme. Il veut attirer notre attention sur ces objets et profiter de cette distraction pour provoquer d'autres catastrophes.

À quelques pas devant eux, Joffrey lève brusquement le bras, à la manière d'un arbitre.

– Deux minutes de pénalité, pour obstruction ! crie-t-il.

Ses trois amis échangent des regards éberlués, puis s'approchent.

– Tu parles au fantôme ? murmure Jenny. Il est là ?

– Il était là. Mais il vient de partir purger sa pénalité au banc des punitions.

Comme ses amis le dévisagent sans comprendre, il explique.

– Tom Lefan est un joueur de hockey… enfin, presque ! Il comprend bien les règlements du sport et les respecte. Quand il était jeune, il espérait jouer avec les Canadiens, mais il n'a jamais été recruté par l'organisation. Il était bon, mais il y en avait de meilleurs que lui durant ces années-là. Alors, il est devenu concierge au Forum pour continuer à vivre l'ambiance des matchs et côtoyer ses idoles.

— C'est dommage…, soupire Jenny. Et un peu triste aussi pour lui !

— Mais il y a pire ! poursuit Joffrey. Quand les Canadiens ont changé de patinoire pour aller jouer au Centre Bell, eh bien, les fantômes du Forum sont restés ici quelque temps, avec lui. Finalement, la plupart ont trouvé le chemin du nouveau centre et vont y faire une petite visite de temps en temps pour soutenir l'équipe.

— D'où vient cette légende des fantômes du Forum ? le questionne Morgan.

— Mon père m'a dit qu'à une certaine époque, les grands joueurs, après avoir mis fin à leur carrière, venaient quand même assister à tous les matchs pour soutenir les plus jeunes, dit Joffrey. Quand ils sont décédés, la légende s'est installée… Des joueurs, des spectateurs et des journalistes ont commencé à dire que les fantômes de ces héros sportifs continuaient de venir épauler les joueurs qui étaient sur la glace, notamment lors des parties importantes.

– Et Tom Lefan, que vient-il faire dans cette histoire? le questionne Jenny.

– Tom… Il n'aime pas le Centre Bell. Il n'y a jamais travaillé, il n'y connaît personne, n'y a aucune habitude. Et surtout, il espère toujours que l'équipe reviendra s'installer ici, au Forum, car c'est ici qu'elle a vécu ses heures de gloire.

– Oh oh! Je crois comprendre son plan, intervient Morgan. Pour obliger les Canadiens à revenir, il leur joue des tours et s'arrange pour provoquer toutes sortes de catastrophes au Centre Bell…

– Exactement! Il veut faire croire qu'il y a un mauvais sort là-bas et que s'ils veulent gagner la coupe Stanley, ils doivent revenir jouer ici.

– Mais ça n'arrivera jamais! s'écrie Jenny. Ça fait quand même pas mal d'années que les Canadiens sont au Centre Bell, et tu as dit qu'à notre époque, le Forum est devenu un centre de divertissements.

– Oui, mais les Canadiens n'ont jamais gagné une seule coupe Stanley depuis qu'ils jouent dans leur nouvel aréna, réplique Joffrey. Leur dernière conquête du trophée, c'était ici, au Forum! On n'était même pas nés!

Je crois que Tom Lefan est nostalgique de cette époque.

– Oh non ! Tu crois que c'est vraiment Tom Lefan qui s'amuse à leur nuire depuis toutes ces années ? dit Jenny, les yeux écarquillés.

– Je ne vois pas d'autres explications !

– Il faut faire quelque chose ! soupire la fillette.

– Oui, car sinon les Canadiens vont encore perdre ce soir… et ils seront balayés !

– Fée, je crois que j'ai compris pourquoi tu nous as amenés ici ! s'exclame Jenny. Ce soir, ton équipe préférée va gagner, Joffrey.

– Comment ?

– Tu verras ! Retournons à la cabane. Il est bientôt l'heure du souper. Il ne faut pas que nos parents s'inquiètent. Mais nous reviendrons ici juste avant le match…

– Je ne peux pas ! Je dois voir la partie avec mon père au Centre Bell ! répond Joffrey.

– Oui, je sais. Mais tu peux compter sur Morgan, Fée et moi… Ils vont gagner !

– Jenny a raison. Rentrons ! Le pluriel de départ, les amis ! dit Fée.

– Une fée… des SIENNES ! lancent en chœur les trois enfants.

CHAPITRE 5

Le soir venu, comme prévu, Joffrey et son père s'installent à leur place au Centre Bell. Fée a convenu de rester discrètement avec eux, en se tenant en retrait, mais à portée de vue. Il ne faut surtout pas que quelqu'un devine qu'elle est amie avec Joffrey. Si Tom Lefan se manifeste, elle pourra vite se rendre auprès de Jenny et Morgan. Prévenus, ils pourront peut-être agir et empêcher le vieux fantôme de créer des problèmes.

Jenny et Morgan sont donc de retour au Forum, dans cette époque indéterminée que le revenant semble avoir fabriquée sur mesure pour lui-même. Dès leur arrivée, le vieil homme tente encore de les troubler par des bruits étranges, des déplacements d'air, des farandoles de lumière, mais cette fois, ni Morgan ni Jenny ne se laissent impressionner. Au contraire, pour que leur plan fonctionne, il faut qu'ils obligent le fantôme à se montrer.

— Tom! Tom Lefan, appelle Jenny. Venez! Venez jouer avec nous!

Les deux amis ont apporté leurs patins et ils s'élancent sur la glace. Pendant de longues minutes, ils patinent, s'échangent la rondelle et lancent dans un filet désert.

– Venez, vous serez notre gardien de but! Tom Lefan! Vous avez dit que vous étiez un très bon gardien de buts. C'est le moment de démontrer votre talent.

Mais le vieux fantôme ne se manifeste plus. Ni bruit, ni lumière, ni craquement.

– J'espère qu'il est toujours là. Il ne faut pas qu'il saute dans le temps pour aller nuire aux Canadiens au Centre Bell, soupire Morgan.

– Oui, moi aussi! répond la fillette. Mon idée est de l'occuper pour l'empêcher de penser à la partie de ce soir.

– Pourquoi as-tu apporté les objets qui se trouvaient dans les vitrines du hall jusqu'ici? demande Morgan.

– Parce qu'on va se déguiser! Ça va rappeler de bons souvenirs à Tom Lefan! Enfin, je l'espère. Et il ne pourra pas résister à venir nous retrouver pour nous raconter l'histoire de toutes ces choses.

Jenny patine jusqu'au banc des joueurs où elle a déposé les trésors retirés de leur vitrine. Elle hésite un instant, puis elle prend un casque de construction qu'elle ajuste sur sa tête.

– Pouah ! ricane Morgan. Tu parles d'un casque protecteur. Il est vraiment bizarre. Tu ne peux pas jouer avec ça !

À cet instant, une voix surgie de nulle part résonne dans le Forum.

– On ne se moque pas ! C'est le premier casque qui a été porté par un arbitre au début du 20e siècle. L'homme s'attendait à du jeu robuste lors d'un match en finale de la coupe Stanley. Il a pensé à se protéger le crâne !

Morgan et Jenny échangent des regards de **connivence**. Ils ont réussi à faire sortir Tom Lefan de son silence, même s'il ne se montre pas encore.

Le jeune garçon s'empare à son tour d'un objet : un foulard rose.

– Ah, ç'a dû appartenir à une joueuse exceptionnelle ! s'exclame-t-il.

– Pas du tout ! le reprend Tom Lefan. C'est le premier couvre-chef qui a été porté par un joueur, et c'était à Québec.

Finalement, une forme blanche apparaît au ras de la glace. Puis l'ancien concierge se métamorphose complètement. Il explique aux jeunes aventuriers l'usage des objets qu'ils ont apportés près de la patinoire. Patins, chandails, bâtons, rondelles, équipements et masques.

— Le masque justement... La première personne qui en a porté un pour jouer, c'était une femme. Elle avait mis un masque d'escrime...

— Je croyais que c'était le gardien de but des Canadiens qui avait porté un masque pour la première fois ! répond Morgan, en tournant entre ses doigts un masque de cuir.

— Non. Trente ans avant lui, un autre gardien avait confectionné celui-ci, en cuir, mais il ne l'a porté qu'une fois ou deux. Jacques Plante des Canadiens, lui, a été le premier à en mettre pour tous ses matchs.

— On joue, propose alors Morgan en se penchant au-dessus d'un seau où sont entreposées une dizaine de rondelles gelées.

— Pourquoi sont-elles si froides ? proteste le garçon en laissant tomber la rondelle sur la glace.

— On voit que tu n'es pas un amateur de hockey, toi !

Le fantôme éclate de rire et sa silhouette blanche monte au-dessus de la patinoire comme du brouillard au-dessus d'un lac glacé.

— Ce rire ne me dit rien de bon ! murmure Morgan. Je suis sûr qu'il a fait quelque chose pour saboter la partie que les Canadiens jouent ce soir.

– Fée nous préviendra s'il se passe quelque chose ! Il faut que Tom Lefan revienne près de nous, c'est la seule façon de le surveiller.

De nouveau, les deux enfants appellent le fantôme, mais il ne réagit pas.

Pendant ce temps, au Centre Bell, peu après les hymnes nationaux, les capitaines des deux équipes se défient pour la première mise au jeu. Bien vite, les joueurs se rendent compte que la rondelle prend des trajectoires étranges. Elle saute par-dessus les bâtons, s'immobilise dans les coins au lieu de rebondir sur la bande ; elle ne glisse pas du tout.

Exaspéré, le gardien des Canadiens profite d'un arrêt aux dépens d'un adversaire pour l'expédier dans la foule. Le **palet** récalcitrant, pas le joueur, bien évidemment !

Une autre rondelle est mise en jeu. Mais elle ne réagit pas mieux que la précédente. Au contraire, elle se défile et les hockeyeurs des deux équipes deviennent de plus en plus maladroits à force de tenter de la maîtriser.

– Qu'est-ce qui se passe ? murmure Joffrey.

– C'est peut-être la nervosité, répond son père. Tu sais que c'est un match sans lendemain.

L'équipe qui perd ce soir n'aura plus qu'à aller jouer au golf jusqu'à la saison prochaine.

– Les Canadiens ne perdront pas! clame le garçon, en jetant un regard par-dessus son épaule pour vérifier où se trouve son amie sans-abri. Je vais au petit coin, je reviens dans une seconde, ajoute-t-il brusquement en se levant.

Joffrey se hâte vers la sortie où Fée Des Bêtises l'attend.

– Il faut prévenir Morgan et Jenny. Je ne sais pas ce que Tom Lefan a fait aux rondelles, mais je suis sûr qu'il les a sabotées.

– Ce ne sont pas les rondelles en elles-mêmes qu'il a sabotées… mais le congélateur dans lequel elles sont entreposées, lui confie la magicienne. Elles sont chaudes, c'est pour ça qu'elles restent collées à certains endroits.

– Oh non! soupire Joffrey. Il faut que les rondelles soient gelées à -12 °C pour être moins bondissantes. J'espère qu'un préposé va se rendre compte du problème et y remédier rapidement.

À cet instant, un coup de sifflet retentit dans l'aréna. Les arbitres sont en train de discuter. Un temps d'arrêt est demandé.

Quelqu'un s'est finalement aperçu du problème. Des rondelles sont retirées d'un autre congélateur. Mais une fois encore, on s'aperçoit que ce dernier ne fonctionne pas et que les palets sont chauds. La partie doit être retardée, le temps qu'un nouvel appareil soit installé et qu'il refroidisse d'autres rondelles. Amusés par cet incident, les joueurs des deux équipes retournent aux vestiaires, en blaguant.

– Vite, Joffrey, donne-moi un mot magique pour que j'aille retrouver Morgan et Jenny. Je dois les prévenir.

Le garçon ouvre son carnet à la page SANS EN AVOIR L'AIR*.

– Lorsqu'il faut foncer sans en avoir l'air, on ne fronce pas les sourcils, sinon on va se faire remarquer.

Aussitôt, la phrase se met à danser devant leurs yeux, puis dans un souffle de vent, Fée Des Bêtises

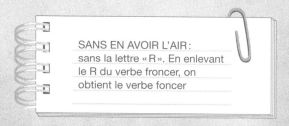

SANS EN AVOIR L'AIR :
sans la lettre « R ». En enlevant le R du verbe froncer, on obtient le verbe foncer

disparaît, presque au moment même où le père de Joffrey arrive près de son fils.

– Ouf ! lâche le garçon. On a eu chaud !

– De quoi parles-tu ? le questionne son papa.

– Oh ! J'ai entendu dire que les rondelles sont chaudes et que c'est pour cela qu'elles glissent mal. Heureusement que quelqu'un s'en est aperçu. On a eu chaud. Si la partie se poursuivait ainsi, les Canadiens auraient pu perdre.

– Viens, allons au restaurant en attendant la reprise du match, dit le père en prenant son fils par les épaules.

CHAPITRE 6

Au Forum, le rire de Tom Lefan emplit encore l'aréna lorsque Fée Des Bêtises se pointe sur la glace. Elle explique à Morgan et Jenny ce qui s'est passé avec les rondelles au Centre Bell.

– Mais ç'aurait pu être pire ! Les rondelles n'ont pas toujours été faites de caoutchouc. Il y a très, très, très longtemps, les hockeyeurs jouaient avec des balles, mais aussi des rondelles de bois, des pierres, des morceaux de charbon et même parfois des crottes de vache ou de cheval gelées !

– Ouach ! Une chance que Tom Lefan n'a pas remplacé les rondelles par ça ! lance Morgan, en faisant la grimace.

– Oui, ou par des patates ! rigole Fée Des Bêtises.

– Des patates ? !

– Il y a longtemps, les mamans mettaient des pommes de terre chaudes dans les patins de leurs enfants. Ainsi les patins étaient chauds lorsque les jeunes les enfilaient au bord de l'étang. Les enfants laissaient ensuite les pommes de terre geler et les utilisaient en guise de rondelles.

– Je prendrais bien deux patates chaudes à l'instant ! intervient Jenny. J'ai froid. Bougeons un peu.

– Je vais prendre la place du gardien de but ! propose Fée.

– Bonne idée ! Surtout ne sois pas trop bonne, murmure Joffrey. Si tu joues mal, ça pourrait inciter Tom Lefan à réapparaître pour te montrer comment faire.

– Tiens, à propos de filet, poursuit la magicienne. La première fois qu'on en a fixé un à des poteaux, c'était en Ontario et c'était un filet de pêche. Ç'a permis d'éviter bien des disputes à propos de buts marqués ou non.

Les trois amis jouent depuis quelques minutes lorsque la grosse voix bourrue de Tom Lefan résonne de nouveau.

– Ah, votre gardienne est vraiment nulle !

Les trois amis se regardent en souriant. Ils ont atteint leur objectif. Tom Lefan réapparaît. Cette fois, il porte tout l'équipement d'un gardien de but de l'ancien temps, avec des jambières inspirées de celles des joueurs de **cricket**, faites de cuir et rembourrées de feutre.

– Hé, mais c'est un gant de baseball que vous avez ! proteste Morgan.

– Oui et alors ? ! réplique le fantôme. Il y a un joueur des Blackhawks dans les années 1940 qui en avait un… c'est légal !

– Légal, légal ! À cette époque-là ! Mais aujourd'hui… bougonne le garçon.

– Ah, si tu protestes, je ne joue plus ! lance le fantôme.

– Chut ! murmure Jenny. Si tu le fâches, il va s'en aller et qui sait quelle autre bêtise il peut faire !

Jenny et Morgan s'élancent à tour de rôle pour défier leur nouveau coéquipier. Tom Lefan est habile. Aucune rondelle ne parvient à le déjouer.

– Fée ! Tout va bien ici, finit par dire Morgan, en faisant une passe à la magicienne. Tu devrais retourner auprès de Joffrey, pour voir si tout se passe bien là-bas.

Tandis que Jenny cherche à déjouer Tom Lefan, le garçon extirpe son carnet de sa poche.

– Sais-tu comment on appelle un rongeur qui fait des bonds ? C'est une SOURICOCHET*.

Les lettres se mettent à faire des pirouettes et des bonds sur la glace, comme s'il s'agissait de patineurs artistiques. Fée repart aussitôt auprès de Joffrey.

– Souris, souris ! crie Tom Lefan en s'évaporant. J'aime pas les rongeurs !

– Une chance que Rasta n'est pas là ! rigole Morgan.

Tout à coup, les réflecteurs du Forum s'allument tous en même temps. Des cris, des bruits de trompettes et des chants emplissent l'aréna, comme s'il y avait des dizaines de milliers de spectateurs. Et pourtant, il n'y a pas âme qui vive. Les deux enfants se figent et retiennent leur souffle. Que va-t-il se passer ? Qu'est-ce que Tom Lefan mijote

SOURICOCHET :
mot valise formé des mots
« souris » : rongeur qui fait des
bonds et « ricochet » : rebond
d'un objet sur une surface

encore? Ils se hâtent de quitter la patinoire, prêts à prendre leurs jambes à leur cou si la situation se complique.

La voix du fantôme envahit l'espace et commence une étonnante présentation des joueurs.

«Le numéro 1: Georges Vézina, dit le Concombre de Chicoutimi!»

Un joueur s'élance sur la patinoire, son bâton dans les airs. Et les cris redoublent.

«Le numéro 4: Newsy Lalonde!» poursuit Tom.

Un autre joueur fait son entrée sur la glace et salue à son tour la foule invisible en délire.

«Le numéro 7, Joe Malone, dit le Fantôme!»

Le troisième joueur vient se placer près de ses coéquipiers.

«Le numéro 7, Howie Morenz, dit Mitchell Meteor!»

– Hein? Deux numéros 7… c'est vraiment bizarre ça, s'étonne Jenny.

– Moi, ce que je trouve bizarre, c'est que je ne connais pas ces joueurs-là, fait Morgan, les yeux grands ouverts. Je veux bien croire que je ne sais pas grand-chose sur ce sport, mais je n'ai jamais entendu ces noms-là aux nouvelles du sport.

« Le numéro 4, Aurèle Joliat, dit le Petit Géant ! » poursuit Tom Lefan.

– Hé, ça s'peut pas ! Il y a deux numéros 4 maintenant. Je n'y comprends rien ! continue la fillette.

« Le numéro 6, Hector « Toe » Blake, dit le Vieil Allumeur de lanternes ! »

Au fur et à mesure, les joueurs s'élancent sur la patinoire et les cris, les chants, les coups de sirène et de trompette s'accentuent. De l'endroit où ils se tiennent, les deux amis ne peuvent pas voir les visages des hockeyeurs.

« Le numéro 1, Bill Durnan ! »

– Pffff ! souffle Jenny. Encore un autre gardien… ça n'a pas de sens !

« Le numéro 1, Jacques Plante ! »

– Un gardien de plus ! remarque Morgan.

– Mettre trois gardiens devant le filet en même temps, c'est une bonne solution pour gagner ! Leurs adversaires ne risquent pas de compter un seul but, ricane Jenny. Joffrey devrait suggérer ça aux joueurs actuels.

« Et enfin, le numéro 2, Doug Harvey ! » termine l'annonceur, alors que le tumulte redouble de vigueur dans le Forum.

– Tu parles d'une équipe étrange ! poursuit Morgan. Il n'y a pas assez de joueurs et il y a plus de gardiens que d'attaquants et de défenseurs.

– Je ne connais pas grand-chose au hockey non plus, mais suffisamment pour savoir que ce n'est pas normal ! murmure Jenny.

Pendant ce temps, de retour au Centre Bell, Fée Des Bêtises constate que le match a recommencé. Et ça va plutôt mal pour les Canadiens. Ils ont deux hommes au banc des pénalités, et sur la glace, un joueur de l'équipe adverse est en échappée. En deux temps, trois mouvements, il déjoue habilement le gardien et marque en avantage numérique, d'un superbe lancer du poignet dans le haut du filet. Cette fois, Tom Lefan n'y est pour rien.

La première période se termine sur le score de 3-0 pour les visiteurs. Si les Canadiens ne se reprennent pas en main, ils ne feront pas les séries. Joffrey est désespéré.

– Que se passe-t-il au Forum ? demande-t-il à son amie Fée, tandis qu'il profite de l'entracte pour aller acheter des bonbons.

– Tout va bien. Ce n'est pas la faute du fantôme cette fois. Morgan et Jenny se chargent de le distraire.

– Tu dois faire quelque chose, Fée. Ils vont être éliminés.

– Je ne peux pas utiliser ma magie pour les aider. Il n'y a que toi, Morgan et Jenny qui puissiez me voir et me donner des pouvoirs grâce à vos jeux de mots. Je ne peux pas intervenir pour des gens qui ne croient pas en moi et ne me voient pas. Et puis, il ne faut pas tricher. Ce ne serait pas bien pour leurs adversaires…

– Misère ! …

– Peut-être vont-ils se ressaisir à la deuxième période ! suggère Fée. Je peux aller écouter ce qui se dit dans le vestiaire. Je te tiens au courant.

Alors que Fée se dirige vers la chambre des joueurs, elle est interceptée par deux gardiens de sécurité.

– Qu'est-ce que vous faites ici ? Montrez votre billet !

Prise de court, Fée n'a pas le temps d'en maté-rialiser un. Les deux gardiens la prennent chacun par un bras et l'escortent vers la sortie.

– Vous n'avez rien à faire au Centre Bell. On ne veut pas de mendiante, ici ! Filez ! Et qu'on ne vous prenne plus dans les parages, sinon on appelle la police.

Devant l'édifice, elle aperçoit quelques personnes qui quittent déjà l'aréna, dépitées par l'allure du match. Tout le monde est bien déçu de la tournure des événements. Mais Fée Des Bêtises n'a pas dit son dernier mot.

La magicienne contourne la bâtisse pour y entrer par un autre côté, afin d'être sûre de ne pas rencontrer de nouveau les deux gardiens bougons qui l'ont jetée dehors sans ménagement.

Cette fois, c'est à pas de loup qu'elle s'approche des vestiaires. Il y a beaucoup de journalistes aux alentours, elle doit faire attention de ne pas être vue. Alors qu'elle s'apprête à passer à travers un mur, elle sent une main qui s'abat sur son épaule.

– Encore vous ? !

C'est l'un des deux gardiens qui l'a interceptée quelques instants plus tôt.

– Suivez-moi !

Comme ses pouvoirs sont en train de diminuer, Fée préfère obéir. Elle ne veut pas user sa magie pour se sauver, elle peut en avoir besoin pour aider ses jeunes amis.

Le gardien lui fait parcourir de nombreux corridors jusqu'au bureau de la sécurité, où il l'enferme à double tour, et à travers la porte, il lui lance :

– Restez ici jusqu'à la fin de la partie ! Je ne veux pas vous causer de problème, alors ne m'en causez pas non plus ! Je vous laisserai partir quand le match sera terminé.

CHAPITRE 7

Inconscients de la fâcheuse position dans laquelle se trouve leur amie Fée, Morgan et Jenny se tiennent près de la patinoire du Forum, le sang gelé de peur dans leurs veines. Ils viennent de se rendre compte qu'il n'y a aucun corps dans les uniformes des joueurs qu'ils ont vu s'élancer sur la glace. Les vêtements bougent tout seuls au moment où retentit le coup de sifflet de mise au jeu lancé par un arbitre invisible.

– Ce sont les fantômes… les fantômes du Forum ! s'exclame Morgan.

– Encore des fantômes ! Aaaahhh ! Il y en a trop ! Je ne reste pas ici ! crie Jenny, en pivotant pour s'enfuir.

Morgan la retient par la main.

– On ne peut pas toujours se sauver. On doit affronter nos peurs si on veut aider les Canadiens. Et de toute façon, on ne peut pas partir ! Fée Des Bêtises n'est pas ici pour nous ramener dans notre monde. Calme-toi !

– Il est temps qu'elle revienne ! se plaint Jenny.

– Elle doit rester près de Joffrey. Elle reviendra si les choses s'aggravent au Centre Bell. C'est à nous de nous occuper de la situation ici.

– D'accord! Qu'est-ce qu'on fait?

– On apprécie le spectacle! Ils sont vraiment très bons, juge par toi-même!

Les deux enfants, les yeux rivés sur la glace, voient les costumes vides s'élancer d'un bord à l'autre de la patinoire. La rondelle avec laquelle les formes s'amusent bouge tellement vite que Morgan et Jenny ont beaucoup de difficulté à ne pas la perdre de vue.

Et à un moment, un joueur fantôme décoche un lourd lancer frappé en direction du but, mais Tom Lefan jaillit devant le filet et fait un étonnant arrêt. Tout autour d'eux, les acclamations reprennent de plus belle. C'est tout un match.

– Wow! On n'aurait pas pu rêver mieux, comme partie! s'exclame Morgan. Dommage que Joffrey ne soit pas ici. Je suis sûr qu'il préférerait voir cette joute plutôt que celle qui se déroule au Centre Bell. Quelle action!

Un coup de sifflet retentit.

– Hum! On dirait bien que c'est la fin de la période, commente Jenny. Il ne faut pas que Tom Lefan reparte…

– Comment l'en empêcher ?

– Une blague ! C'est ça… il faut faire des blagues !

– Oui, bien sûr ! Des blagues sur les fantômes, ça va sûrement l'intéresser. Tu en connais plein toi… vas-y !

– Une seconde ! soupire Jenny. Il faut que j'y pense. Des blagues, c'est toujours quand on en a besoin que… Ah non, voilà ! Tom, Tom Lefan ! Savez-vous quelle est la pierre préférée des fantômes ?

Interpellé, le revenant revient vers le banc des joueurs. Tandis qu'il se concentre pour trouver la réponse, il se matérialise un peu plus. Morgan et Jenny découvrent alors son vrai visage, celui d'un vieux bonhomme aux grands yeux bleus tristes et aux cheveux blancs comme la neige. Son visage est pâle, et il a une cicatrice sur la joue, probablement causée par une rondelle à l'époque où les gardiens de but jouaient sans masque.

– Euh… une pierre deux coups ! propose le vieillard.

– Ah, bien joué ! Ç'aurait pu être ça ! Mais la réponse est la pierre… tombale ! s'amuse Jenny.

Le fantôme lui fait les gros yeux.

– Il y a des mots qu'on ne doit pas prononcer en présence d'un revenant, bougonne-t-il.

Oups! Craignant que Tom Lefan disparaisse de nouveau, Jenny enchaîne:

– Et celle-ci! Qui est le fantôme le plus élégant?

– Euh… Le fantôme de l'opéra.

– Wow! Vous avez beaucoup d'imagination, mais ce n'est pas la bonne réponse! C'est celui qui est dans de BEAUX DRAPS*!

Cette fois, Tom Lefan éclate de rire.

– Bravo les jeunes! Parlant de beaux draps, je me demande ce qui arrive aux Canadiens… Je vais aller jeter un petit coup d'œil au tableau d'affichage du Centre Bell.

– Oh non! se lamente Morgan. Il y pense encore!

DANS DE BEAUX DRAPS:
Autrefois le mot drap voulait dire habits — être dans de beaux draps blancs signifiait que la personne se montrait avec tous ses défauts — aujourd'hui, le mot blanc a disparu et l'expression signifie plutôt être dans une situation compliquée

Aussitôt le fantôme s'évapore. Les deux amis ne peuvent rien faire pour le retenir.

— Faisons confiance à Joffrey et Fée Des Bêtises, dit Jenny. Ils vont l'empêcher de nuire.

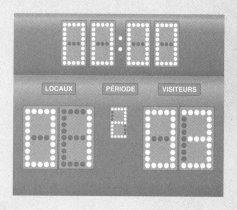

Au Centre Bell, c'est déjà le deuxième entracte. Le tableau de pointage indique la marque de 3-1 pour les visiteurs. L'ambiance est plutôt éteinte dans l'amphithéâtre. Les encouragements sont de moins en moins perceptibles, quelques sifflets et des **huées** ont même jailli ici et là. Bref, ça va mal !

— Mon carnet ! Mon carnet ! entend-on soudain.

C'est Joffrey. Il vient de se rendre compte que son calepin de mots magiques a disparu. C'est la catastrophe ! À quatre pattes, il explore sous son siège et sous ceux de ses voisins, dérangeant tout le monde et se faisant chicaner au passage. Sans le faire exprès, il bouscule un jeune garçon et le grand format de boisson gazeuse de celui-ci se renverse sur la tête de Joffrey. Mais il s'en moque, il a les larmes aux yeux d'avoir perdu son précieux carnet.

– Joffrey, cesse de gigoter et de déranger tout le monde. Ce n'est pas grave ! lui lance son père. Je t'en achèterai un autre…

– Tu ne peux pas comprendre, papa ! C'est important ! Ce n'est pas n'importe quel carnet…

– Qu'est-ce que tu peux bien noter de si important dans ce calepin ? C'est une sorte de… journal intime ?

Comme Joffrey ne répond pas et que ses larmes coulent de plus belle, le père se rend compte qu'il doit aider son fils.

– Très bien ! Puisque tu ne sembles pas l'avoir égaré ici, retournons au restaurant. Faisons le chemin en sens inverse… Il est peut-être tombé de ta poche dans un couloir.

Parcourant les corridors, les yeux rivés au sol, le père et le fils inspectent minutieusement chaque centimètre carré. Après le restaurant, ils se rendent même aux toilettes. Mais rien.

Joffrey sanglote, et son père ne sait plus quoi faire pour le consoler.

— Hé, Joffrey ! l'interpelle soudain quelqu'un.

Le garçon se retourne. C'est Francis, un gars de l'école avec lequel les trois amis ne s'entendent pas tellement. Il est plus vieux, plus grand, plus fort et parfois très bête.

— Tu as perdu quelque chose ? demande le garçon, en constatant que les yeux de Joffrey continuent d'inspecter le sol.

— Un carnet ! répond le père de Joffrey.

— Ah ! Ce ne serait pas CE carnet, par hasard ?

Francis brandit à bout de bras le calepin magique.

— Mon carnet ! Oh, tant mieux… Merci ! soupire Joffrey, en tendant la main.

Mais Francis lui envoie un sourire que Joffrey n'aime pas du tout. Puis, le garçon détale, emportant le précieux calepin. Joffrey se lance à sa poursuite. Son père, pris de court, met quelques secondes avant de comprendre ce qui se passe et s'élance derrière les deux enfants, qui ont pris beaucoup d'avance sur lui.

En courant, Francis jette de fréquents coups d'œil derrière lui pour juger de la distance qui le sépare de son poursuivant. Mais d'un seul coup, bang! Il entre en collision avec un gardien de sécurité. L'homme le retient par la manche de son chandail.

— Et tu cours où, comme ça, mon garçon?

Joffrey arrive à cet instant.

— Mon carnet! crie-t-il, à bout de souffle.

Le gardien de sécurité les regarde l'un après l'autre.

— Expliquez-moi ce qui se passe?

— J'ai perdu mon carnet. Il l'a trouvé, mais il ne veut pas me le rendre! bafouille Joffrey.

— C'est faux! Ce carnet m'appartient! gronde Francis. Il le veut parce qu'il contient les numéros de téléphone des plus jolies filles de l'école.

— Montre-moi ce calepin, dit l'homme, en tendant la main.

Francis fronce les sourcils et tend l'objet au gardien de sécurité. Celui-ci le feuillette, puis le rend à Francis.

— Très bien! Retournez à vos places… si je vous surprends encore à courir dans les corridors, je vous expulse du Centre Bell. Et toi, mon petit bonhomme, ajoute-t-il en prenant Joffrey par les épaules, si tu veux le numéro des filles… eh bien, tu le leur demandes!

À cet instant, Joffrey comprend qu'il s'est fait jouer un tour par Francis. Ce n'est pas son carnet magique que le garçon a trouvé. Le jeune aventurier rougit. Comment a-t-il pu se laisser manipuler encore une fois par Francis ? À l'école, cette brute ne cesse de ridiculiser Joffrey et ses amis ; il se dit qu'il aurait dû réfléchir avant de foncer tête baissée dans le piège.

Le papa de Joffrey arrive finalement, essoufflé et en nage. En discutant avec le gardien de ce qui s'est passé, il confirme la version de son fils. Joffrey a bel et bien perdu son carnet, et Francis lui a fait une mauvaise blague. Le gardien conseille au père d'escorter les enfants jusque dans l'aréna.

La mine basse, Joffrey suit son père en traînant les pieds.

– Attends une seconde, mon garçon ! l'interpelle brusquement le gardien. Tu sembles tenir à ton carnet. As-tu pensé à aller voir au bureau des objets perdus ? Suis-moi, je vais t'y emmener.

– Papa ?

– D'accord, vas-y ! Je reconduis Francis à sa place ! Mais dépêche-toi, la troisième période va bientôt commencer.

CHAPITRE 8

Le bureau des objets perdus contient une multitude d'effets oubliés par les spectateurs pendant les matchs ou encore pendant les spectacles qui se tiennent au Centre Bell. Joffrey croise très fort les doigts pour que quelqu'un ait pensé à y apporter son carnet. Si son calepin a été déposé dans une poubelle ou dans un bac de recyclage, ce n'est pas bien grave, Fée lui en fabriquera un autre. Mais si, par malheur, il est tombé entre les mains de quelqu'un qui prononce les mots magiques qui y sont inscrits, le secret de l'existence de la magicienne sera découvert, et les trois copains devront renoncer à leur amitié avec elle. Pour Joffrey, c'est le pire des scénarios.

Le gardien de sécurité introduit le jeune garçon dans le bureau des objets perdus et demande à la préposée de regarder sur les étagères s'il n'y a pas un petit calepin à la couverture bleue, comme le lui a décrit Joffrey. Mais la dame a beau fouiller et fouiller encore. Rien.

Joffrey pousse un profond soupir de découragement. Mais en relevant la tête, qui voit-il par une porte laissée ouverte au fond du bureau ? Fée Des Bêtises ! En effet, le bureau des objets perdus communique avec celui de la sécurité. Joffrey sent ses yeux qui picotent et il fait de grands efforts pour ne pas éclater en sanglots en constatant que son amie est retenue dans ce local.

Si Joffrey est inquiet maintenant, ce n'est plus seulement pour son calepin, mais aussi pour son amie magicienne. Elle est enfoncée dans un grand divan, et semble sans force et totalement désespérée. Il lui faut un mot magique tout de suite pour la sortir de là. Il ne parvient pas à quitter Fée Des Bêtises des yeux. Le gardien suit le regard de Joffrey et explique :

– C'est une sans-abri qui cherchait à s'introduire dans le Centre Bell, sans doute pour y trouver un peu de chaleur, mendier ou demander de la nourriture.

Puis, il remarque les yeux embués de Joffrey, mais se trompe sur la cause de son émotion.

– Ne sois pas si ému pour un carnet, mon garçon ! ajoute le gardien en posant la main sur l'épaule de Joffrey et en le poussant vers la sortie.

Le jeune garçon se retrouve dans le corridor et se questionne : que va-t-il bien pouvoir faire pour tirer Fée Des Bêtises de sa prison ? S'il ne parvient pas à la sortir de là, Morgan et Jenny vont rester coincés dans une autre époque… Ce serait trop terrible. Il doit agir !

Au loin, il voit son père qui arrive en marchant à grands pas. À la main, il tient un petit objet bleu. Le cœur de Joffrey fait trois tours à l'envers. Ce n'est pas possible ! C'est un miracle !

— Je l'ai trouvé, ton calepin ! s'exclame le papa. Il était tombé trois rangées plus bas dans les gradins, sous un siège. Probablement que quelqu'un l'a poussé là par mégarde, lorsque les spectateurs sont sortis pour l'entracte.

— Tu l'as ouvert ? bredouille Joffrey, anxieux à l'idée de voir son secret découvert.

— Non ! répond son père. J'ai surtout pensé à te le rapporter. La troisième période va bientôt commencer. Vite, retournons à nos places.

— Papa ! Voudrais-tu me rendre un service, s'il te plaît ?

— Oui, quoi ?

— Tu vois, la vieille dame, là… dans le bureau de la sécurité.

Il pointe en direction de Fée Des Bêtises, que l'on peut apercevoir par la porte laissée entrouverte.

– Oui, eh bien ?

– C'est une sans-abri. Elle a faim... Est-ce que... est-ce que ça te dérangerait d'aller lui acheter un sandwich ?

Le père regarde en direction de Fée, puis de son fils, et un large sourire éclaire son visage.

– Bien sûr ! Je fais vite... Toi pendant ce temps...

– Je ne bouge pas d'ici ! Je t'attends. Dépêche-toi !

Tandis que son père s'éloigne, Joffrey en profite pour ouvrir son carnet magique à toute vitesse.

– Fée, écoute bien ! Les trois lettres de la langue française les plus étonnées sont : É B T*.

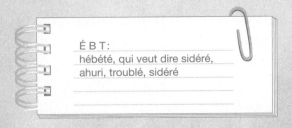

É B T :
hébété, qui veut dire sidéré, ahuri, troublé, sidéré

Les lettres s'envolent du carnet et se mettent à danser en direction de la magicienne qui sort de son engourdissement. Retrouvant instantanément ses pouvoirs magiques, Fée Des Bêtises disparaît aussitôt du bureau de la sécurité, en décochant un clin d'œil de remerciement à son sauveur.

« Où est-elle donc passée ? » entend Joffrey.

Le gardien de sécurité cherche partout la sans-abri, mais il n'y a plus aucune trace d'elle.

— Ah, elle en a profité pendant que j'étais occupé pour filer…

Joffrey sourit en coin, puis avance vers son père qui revient avec le sandwich.

— Elle est partie, papa ! On donnera le sandwich à un autre sans-abri lorsqu'on sortira. Il y en a beaucoup au centre-ville. Tu viens ? On retourne voir la fin du match.

Cette fois, Joffrey est convaincu que l'équipe va remonter la pente. Fée est libre, elle va sûrement trouver un moyen d'empêcher Tom Lefan de nuire encore aux joueurs.

Au Forum, Morgan et Jenny sont inquiets. Qu'est-ce que Tom Lefan va encore inventer pour jouer des tours aux Canadiens ?

– Appelons Fée ! décrète Morgan en s'emparant des mains de son amie.

Quelques secondes plus tard, une voix enjouée leur parvient du centre de la patinoire. Fée Des Bêtises porte un chandail rouge avec un C blanc et un H rouge sur la poitrine. Juchée sur ses patins, elle a fière allure.

– Attrape ça, Joe ! crie-t-elle, en faisant une passe précise au numéro 7, tandis qu'ils foncent tous les deux vers l'autre bout de la patinoire, où les attend un filet désert.

Les deux amis crient, sifflent et encouragent la magicienne qui joue maintenant avec les fantômes du Forum. Mais tout à coup, les lumières vacillent, Fée Des Bêtises commence à devenir transparente.

– Vite, vite ! Un mot magique ! crie Morgan, en cherchant son carnet dans la poche arrière de son jean. Euh… euh, s'énerve-t-il, en tournant ensuite les pages.

– Le verbe conjugué au présent pour désigner un rongeur qui fait une partie de hockey est

RAJOUTE*! lance Jenny qui tient fermement le sien.

Aussitôt, la magicienne se redresse et file à toute vitesse sur la patinoire.

– Ouf! On a failli perdre notre amie! soupire Jenny.

La partie se poursuit pendant quelques minutes encore, puis Fée Des Bêtises vient rejoindre ses jeunes amis.

– Voilà mon idée: les fantômes des anciens joueurs doivent aider les joueurs actuels. Je leur ai expliqué la situation. Ils sont d'accord pour aller au Centre Bell soutenir les joueurs. Ils n'y ont mis qu'une seule condition!

– Laquelle? demandent en chœur Morgan et Jenny, inquiets, car si cette condition est impossible à réaliser, tout leur plan risque de s'écrouler.

– À l'avenir, ils ne soutiendront les nouveaux joueurs que si ces derniers font tous les efforts

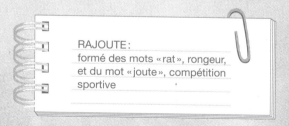

RAJOUTE:
formé des mots « rat », rongeur,
et du mot « joute », compétition
sportive

pour se rendre en série, chaque année. Si, dix matchs avant la fin de la saison régulière, ils jugent que leurs jeunes confrères ont baissé les bras, ils se retireront jusqu'à l'année suivante…

– Hum…. Je crois que c'est une bonne condition, dit Jenny. Ma mère me dit souvent AIDE-TOI, LE CIEL T'AIDERA*!

– Je suis d'accord avec Jenny, ajoute Morgan. Mais acceptent-ils de les soutenir ce soir, même si c'est… euh… le dernier match?

– Les Canadiens doivent gagner ce soir, reprend Fée des Bêtises. Les fantômes ont accepté d'aller les épauler parce qu'ils savent que Joffrey serait trop déçu s'ils n'essayaient pas. Les joueurs fantômes ont été les meilleurs à leur époque, ils connaissent plein de trucs et d'astuces qui pourront être utiles aux

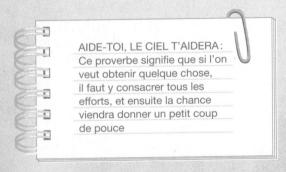

AIDE-TOI, LE CIEL T'AIDERA :
Ce proverbe signifie que si l'on veut obtenir quelque chose, il faut y consacrer tous les efforts, et ensuite la chance viendra donner un petit coup de pouce

hockeyeurs d'aujourd'hui, si ceux-ci consentent à les écouter avec leur cœur.

– Et Tom Lefan ? la questionne Morgan.

– Il m'a promis de ne plus rien faire pour nuire aux joueurs. Il va venir avec nous au Centre Bell et soutiendra le gardien de but.

– Allons-y ! Une fée… DES EFFORTS*! s'exclament Morgan et Jenny.

Aussitôt un grand tourbillon s'empare d'eux et les propulse à travers l'espace et le temps, jusqu'au Centre Bell. L'arbitre vient de siffler la mise au jeu pour le début de la troisième période.

– Les Canadiens doivent se ressaisir. Ils ont toute une pente à remonter… mais tout est possible, s'ils y croient vraiment ! dit Morgan, alors que Jenny et lui se retrouvent tout juste au milieu des spectateurs derrière le banc des joueurs.

FÉE DES EFFORTS :
de l'expression « faire des efforts »

CHAPITRE 9

Joffrey sourit. Il vient d'apercevoir ses deux amis derrière le banc des joueurs. Fée Des Bêtises n'est pas loin, c'est sûr! Il la cherche et l'aperçoit à l'entrée du corridor qui mène au vestiaire des Canadiens. Elle lui fait un petit signe de la main. Près d'elle, il découvre une dizaine de formes transparentes. Les fantômes sont tous là. Il les voit sauter sur la glace un à un.

Dès la mise au jeu, gagnée par le capitaine des Canadiens, l'équipe semble métamorphosée. Les joueurs foncent vers le but opposé comme un troupeau de fauves affamés. Toutes les passes deviennent précises, rapides, efficaces. En quelques minutes, l'allure du match change radicalement. Les joueurs semblent ultra motivés. Ils filent comme le vent, réussissant à éviter les mises en échec avec adresse, se faufilant entre les défenseurs de l'autre camp avec brio, et leurs tirs n'ont jamais été aussi précis.

– On dirait qu'il y a le double de joueurs sur la patinoire! s'exclame le père de Joffrey. Ils sont partout à la fois. Je ne sais pas ce que leur entraîneur leur a dit pendant le repos, mais ça les a stimulés.

— Peut-être que ce sont les fantômes du Forum qui sont venus leur parler ! rigole Joffrey, les yeux brillants de joie.

— Je ne sais pas où ils étaient les fantômes, mais si ce sont eux qui les motivent, il était temps qu'ils arrivent ! plaisante le papa de Joffrey. Attention ! crie-t-il soudain, en se levant en même temps que toute la foule. Celui-là a déjà déjoué notre gardien deux fois !

Le joueur décoche un tir rapide en direction du gardien des Canadiens, mais alors que celui-ci est battu, la rondelle dévie et ricoche sur le poteau à sa droite.

Les spectateurs hurlent et remercient le saint poteau.

— Ouf ! Merci poteau ! soupire le père du garçon.

— Merci, Tom Lefan ! murmure Joffrey, qui, contrairement au reste du public, voit parfaitement le fantôme qui se démène devant le filet et conseille le gardien sur les meilleures positions à prendre pour arrêter la rondelle.

Quelques secondes plus tard, grâce justement à une superbe passe de son gardien, l'ailier droit des Canadiens échappe à la vigilance d'un défenseur adverse et marque enfin, sans aide. C'est la folie dans les gradins qui s'animent d'une gigantesque vague, comme on n'en a pas vu une depuis des années. La marque est maintenant de 3-2, toujours en faveur des visiteurs, mais tous les espoirs sont permis.

– Il leur reste un peu moins de dix-sept minutes pour égaliser et aller en prolongation, dit le papa de Joffrey.

– Moi, j'espère surtout qu'ils vont marquer deux buts sans riposte et se sauver avec le match ! réplique le garçon.

Le père et le fils échangent des regards remplis d'espoir. À cet instant, un flot de hurlements fait trembler le Centre Bell. Profitant d'un mauvais dégagement, un défenseur des Canadiens a intercepté la rondelle qu'il a refilée à son joueur de centre et ce dernier vient de la glisser sous la jambière du gardien de but adverse. C'est le délire dans les gradins. 3-3 indique le tableau d'affichage, tandis que l'annonceur mentionne le numéro et le nom du compteur.

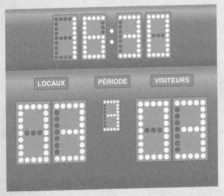

La partie est endiablée. Pour les deux équipes qui s'affrontent, le match est d'une importance capitale. Les deux gardiens se surpassent, tandis que les attaquants attaquent et que les défenseurs défendent comme ils ne l'ont jamais fait auparavant. À la tribune de la presse, les animateurs télé et radio s'égosillent à décrire cette troisième période à laquelle plus personne ne croyait. On n'a jamais assisté à un « vingt minutes » aussi époustouflant au Centre Bell. Tous les spectateurs sont debout et font un vacarme indescriptible en chantant, en soufflant dans des trompettes et en criant à tue-tête. Les joueurs ont du mal à entendre les coups de sifflet des arbitres lorsque ceux-ci arrêtent le jeu ou signalent un hors-jeu.

Derrière le banc des joueurs, Morgan et Jenny trépignent de joie et d'impatience. Il faut encore un but. Un seul petit but avant la fin de la période.

C'est alors qu'une forme blanche bondit sur la glace et file comme une fusée vers la rondelle qui a été repoussée dans le coin de la patinoire par un joueur des Canadiens qui retourne au banc pour un changement de trio.

« C'est un des fantômes du Forum ! se dit Joffrey qui a reconnu la silhouette de ce joueur invisible, le numéro 7, Joe Malone, dit le Fantôme. Il porte bien son surnom ! »

– Papa ! Je reviens !

– Hé, mon garçon, ce n'est pas le moment d'aller aux toilettes ! Retiens-toi, il ne reste que quelques minutes. Tu vas manquer le meilleur.

Mais déjà Joffrey a filé. Il se dépêche de se diriger derrière le banc des joueurs des Canadiens. La foule toujours debout empêche les placiers et les gardiens de sécurité de le voir et de l'intercepter. Il court, court, court !

Il arrive enfin près de Morgan et de Jenny qui lui font une petite place entre eux.

– Les fantômes sont vraiment très inspirants, lance-t-il à ses amis.

– Quoi ? crie Morgan pour l'entendre malgré les bruits de la foule.

– Les fantômes ! reprend Joffrey. Il y en a un, là-bas dans le coin, qui est tout près de la rondelle…

– Il veut vraiment encourager le joueur qui vient de sauter sur la patinoire. Vous entendez ? Il lui murmure de ne pas abandonner ses efforts et de venir la récupérer, commente Jenny.

– Oui ! J'entends. Il lui dit que tout est possible ! s'enthousiasme Joffrey, en criant des encouragements à son tour.

– Wow ! Tu te rends compte de la chance qu'on a de voir jouer toutes ces légendes du hockey ! s'exclame Morgan, bouche bée.

– Tom ! Tom Lefan ! appelle Joffrey, en s'adressant au vieil homme venu se reposer quelques secondes, tandis que le fantôme de Jacques Plante le remplace auprès du gardien des Canadiens.

– Mes amis ! Je ne vous remercierai jamais assez ! Grâce à vous, je vis mon rêve. Je suis dans l'alignement des Canadiens. Pour la première fois de ma vie, je peux être sur une patinoire de la LNH, avec mes idoles. J'espère que vous me pardonnerez tous les mauvais tours que j'ai joués. Je vous promets de ne jamais recommencer. C'est tout simplement incroyable !

« Na na na na, hey hey hey, goodbye ! » scande la foule, totalement survoltée, tandis que l'annonceur déclare :

– Le but des Canadiens, marqué par le numéro 82, aidé du numéro 97 et du numéro 49…

– Votre numéro 49, ce sera un grand joueur ! commente Tom Lefan. Je ne vous l'avais pas dit je crois, mais c'était aussi mon numéro quand je jouais au hockey…

M. RICHARD	BÉLIVEAU	LAFLEUR	GEOFFRION
9	4	10	5
1942 — 1960	1950 — 1971	1971 — 1985	1950 — 1964

Joffrey lève les yeux en direction des bannières portant les numéros qui ont été retirés au fil des années. À cet instant, les fanions portant les numéros de tous les anciens joueurs s'agitent lentement, mais ceux qui remuent le plus, ce sont ceux des fantômes du Forum.

Une minute plus tard, le coup de sifflet final retentit. Tous les joueurs des Canadiens courent vers leur gardien pour le féliciter.

— Morgan, Joffrey! C'est fait, c'est fait! Ils ont gagné! crie Jenny, en sautant au cou de ses amis.

— Ils ont gagné! répète Tom Lefan. On a toujours dit aux joueurs que les fantômes du Forum étaient là pour eux, pour les aider. Il suffisait qu'ils y croient suffisamment pour que cela arrive. Les fantômes n'ont rien fait d'autre que les soutenir par leur présence, pour leur donner l'espoir et la volonté d'aller jusqu'au bout. Et c'est ce qui est arrivé! Ce n'est pas nous qui avons marqué les buts, ce sont eux! On leur a simplement donné la force d'y croire. Ils ont porté bien haut le flambeau!

– J'en reviens pas! bredouille Joffrey. Puis soudain, il s'exclame : Désolé! Je dois rejoindre papa, sinon il va paniquer! On se retrouve à l'école demain matin, les amis! Tom, remerciez tous les fantômes pour moi!

Le jeune garçon se hâte de regagner sa place avant que la foule qui sort de l'aréna l'empêche de retrouver son père.

Pour éviter la cohue, Morgan et Jenny profitent d'un transport gratuit offert par Fée Des Bêtises.

– Le masculin d'une PORTE, c'est un PORT*! lance Morgan.

Les deux aventuriers disparaissent aussitôt du Centre Bell et chacun se retrouve chez soi, dans son lit.

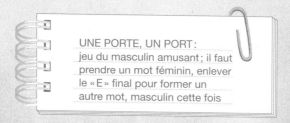

UNE PORTE, UN PORT :
jeu du masculin amusant; il faut prendre un mot féminin, enlever le « E » final pour former un autre mot, masculin cette fois

CHAPITRE 10

Ce matin, à l'école, tout le monde ne parle que de la surprenante et spectaculaire remontée des Canadiens lors du match de la veille.

– S'ils pouvaient jouer comme ça chaque fois, ce serait génial ! lance Louis.

– J'ai tout vu en vrai, c'était incroyable ! répond Francis. J'ai toujours su qu'ils étaient les meilleurs.

– En tout cas, moi, je pense que le seul sport sur lequel nous sommes tous d'accord, c'est le HOCKEY*, blague Jenny.

– Hé, dis donc, Joffrey ? Tu voulais me donner tes cartes de hockey… Tu peux me les apporter à la maison après l'école ! lance Louis à son voisin de pupitre.

– Euh ! Bien… je vais les garder encore, finalement ! répond le jeune garçon.

HOCKEY :
OK ou d'accord

– En tout cas, ils font les séries maintenant ! J'espère que la troisième période qu'ils ont jouée hier va leur donner l'élan qu'il faut pour se rendre jusqu'à la conquête de la coupe Stanley ! reprend Francis.

– Très bien, les jeunes. Un peu d'attention, maintenant, s'il vous plaît ! intervient M. Harry Métic, l'enseignant de maths, en pointant le tableau interactif où défilent des colonnes de chiffres. Comme je le disais vendredi, aujourd'hui, nous allons faire des exercices de calcul.

Puis, cherchant des yeux quelqu'un à interroger, il fixe son regard sur Joffrey qui semble perdu dans ses pensées.

– Joffrey, peux-tu me dire combien font six et six ?

– Prolongation, monsieur !

La classe éclate de rire.

– fIN –

LEXIQUE

CHAPITRE 1

BRINQUEBALANT (ADJ.) : qui va d'un côté et d'autre, qui branle, qui s'entrechoque.

GRADIN (UN) : Banc étagé avec d'autres, dans un stade, un amphithéâtre.

CHAPITRE 2

À SON INSU (LOC.) : sans que la personne s'en rende compte.

DEVISE (UNE) : un slogan, paroles exprimant une pensée.

NE PAS ÊTRE DE TAILLE (LOC.) : ne pas avoir la force ou les qualités nécessaires pour faire quelque chose.

SPECTRE (UN) : un fantôme, un revenant, une apparition.

TRAMWAY (UN) : moyen de transport en commun sur rail utilisé dans les villes.

VANDALE (UN) : personne qui détruit pour le plaisir ; faire du vandalisme.

CHAPITRE 3

ECTOPLASME (UN) : fantôme, spectre, revenant, personne immatérielle.

HOLOGRAMME (UN) : image en trois dimensions.

PAR INTERMITTENCE (LOC.) : de façon irrégulière.

PRESSE (LA) : les journalistes de la radio, de la télévision, des journaux, du Web.

CHAPITRE 4

MNÉMOTECHNIQUE (ADJ.) : phrase ou mot utilisé pour se souvenir de quelque chose.

SURFACEUSE (UNE) : machine pour refaire la glace, Zamboni.

CHAPITRE 5

CONNIVENCE (UNE) : Entente secrète, complicité.

PALET (UN) : objet plat en pierre, métal ou caoutchouc avec lequel on vise un but, synonyme de rondelle.

CHAPITRE 6

CRICKET (LE) : jeu populaire en Angleterre qui se pratique avec une batte en bois et une balle, et dont dérive le baseball.

CHAPITRE 7

HUÉE (UNE) : souvent employé au pluriel, cri de réprobation ou moquerie du public ou des membres d'une assemblée.

Quelques trucs pour écrire ta propre histoire

1) Choisis et décris ton personnage.

Exemples : un joueur de hockey, une princesse, un vampire, un paysan pauvre, un marin, un soldat, un plombier, une policière, une actrice…

Description : mon héros a les cheveux verts et les yeux noirs, il est grand et fort, il porte un tatouage sur la joue droite et une boucle aux narines…

2) Imagine ce qu'il désire ou ce qui peut le rendre heureux(se).

Exemples : rencontrer l'amour de sa vie, posséder un objet magique, avoir un animal de compagnie, trouver un remède contre une maladie grave…

3) Qui peut aider le héros ?

Exemples : un lutin, un animal, un parchemin, une solution vue dans un rêve, sa famille, une bibliothécaire, un voyageur, un savant, un génie…

4) Comment part-il à l'aventure ?

Exemples : il décide d'aller dans la forêt, il devient marin, il se déguise, il part à cheval, en avion, en soucoupe volante, sur un balai magique…

5) Que se passe-t-il en chemin ?

Exemples : il croise un ami, une fée, une jeune fille, un vieil homme, un animal, quelqu'un à qui il va rendre service et qui le récompensera en retour…

6) Quelles épreuves vont lui permettre de tester son courage ?

Exemples : il doit sauter dans le vide, récupérer un objet au fond d'un puits, combattre un monstre, déjouer des pirates ou des voleurs…

Aide-toi de sa description physique : son anneau accroché à sa narine est une boucle magique ; son tatouage permet de le relier à une famille de puissants vampires…

7) Le héros arrive dans un lieu étrange. De quoi a l'air ce lieu? Décris-le!

Exemples : une forêt très sombre et humide, une autre planète, un pays enchanté, une grotte, une auberge mystérieuse...

8) Et l'adversaire du héros, qui est-ce ? Décris-le !

Exemples : un méchant sorcier qui vit dans la forêt, un extraterrestre, un troll joueur de tours, un géant bougon qui n'a qu'un seul œil au milieu du front…

9) L'ennemi est très fort, que fait-il pour nuire au héros ?

Exemples : l'ennemi lui vole son objet magique ; il l'attrape et le ligote au fond d'une grotte ; il le suspend par les pieds au-dessus du vide…

10) Comment l'ami(e) du héros lui vient en aide?

Exemples : en combattant à sa place, en le libérant, en lui apprenant un secret, en le délivrant d'un mauvais sort, en utilisant la ruse, la force, le rire…

11) Le héros doit affronter son ennemi une deuxième fois… mais il sera le vainqueur. Décris comment.

Exemples : son ami lui a confié un secret que le méchant ne veut pas voir dévoiler ; il pourrait le menacer de tout raconter…

Si le méchant est un voleur, le héros parvient à prévenir la police pour faire arrêter le brigand…

Si le méchant est un pirate, le héros s'empare de son navire et abandonne le pirate sur une île déserte remplie d'insectes géants…

12) Le héros retourne chez lui, mais sur sa route, il doit surmonter d'autres épreuves...

Exemples : les amis du méchant lui tendent des pièges ; il tombe sur des animaux dangereux, des monstres ; il arrive au bord d'une falaise et il doit trouver un moyen pour la franchir…

13) Le héros réussit toutes les épreuves et revient chez lui. Qui l'accueille ? Comment ?

Exemples : on lui organise une grande fête pour le remercier d'avoir sauvé son village ; il reçoit une médaille pour sa bravoure ; la princesse accepte de l'épouser ; il a sauvé des enfants d'un incendie, alors on dresse une statue qui le représente devant le poste de pompiers ; il devient capitaine d'un vaisseau interstellaire…

Tu peux visiter le site Web :
http://www.morganetjoffrey.fr.gd
pour obtenir des mots mêlés,
des mots cachés, des mots
croisés, des coloriages ou des
puzzles liés aux aventures de
Morgan, Joffrey, Jenny et Fée
Des Bêtises, ou pour écrire à
l'auteure.

Pour les enseignants, des
fiches pédagogiques sont aussi
téléchargeables sur le site.